Catalogage avant publication de Bibliothèque et Archives nationales du Québec et Bibliothèque et Archives Canada

Bergeron, Alain M., 1957-

    Le portrait volé de Barbelée

    (Le chat-ô en folie ; 26)
    Pour enfants de 7 ans et plus.

    ISBN 978-2-89591-244-6

    I. Fil et Julie. II. Titre. III. Collection : Chat-ô en folie ; 26

PS8553.E674P67 2015   jC843'.54   C2015-940424-X
PS9553.E674P67 2015

Correction et révision : Annie Pronovost

Tous droits réservés
Dépôts légaux : 4e trimestre 2015
Bibliothèque et Archives nationales du Québec
Bibliothèque et Archives Canada
ISBN : 978-2-89591-244-6

© 2015 Les éditions FouLire inc.
4339, rue des Bécassines
Québec (Québec) G1G 1V5
CANADA
Téléphone : 418 628-4029
Sans frais depuis l'Amérique du Nord : 1 877 628-4029
Télécopie : 418 628-4801
info@foulire.com

Les éditions FouLire reconnaissent l'aide financière du gouvernement du Canada par l'entremise du Fonds du livre du Canada pour leurs activités d'édition.

Elles remercient la Société de développement des entreprises culturelles du Québec (SODEC) pour son aide à l'édition et à la promotion.

Elles remercient également le Conseil des arts du Canada de l'aide accordée à leur programme de publication.

Gouvernement du Québec – Programme de crédit d'impôt pour l'édition de livres – gestion SODEC.

IMPRIMÉ AU CANADA/PRINTED IN CANADA

Le portrait
volé de Barbelée

Miniroman de Alain M. Bergeron – Fil et Julie

LE CHÄT-Ô EN FOLIE

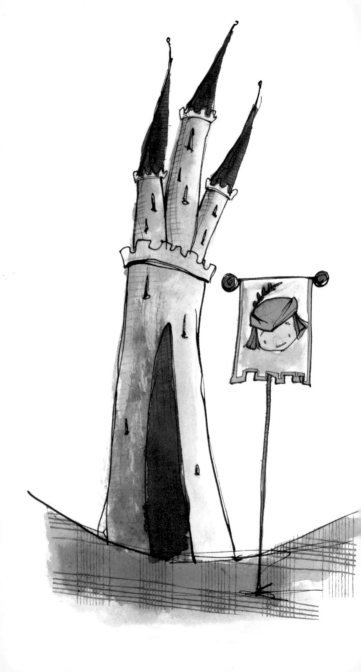

Un soir de Noël, la reine Barbelée a fait un cadeau à son cousin, le roi Corduroy. Elle lui a offert un tableau d'elle-même...

Le roi l'a remerciée en se disant qu'une photo dans un cadre aurait fait l'affaire. Une photo de Winnie l'Ourson, par exemple.

La reine Barbelée a choisi elle-même la place du portrait : au mur de la grande salle du château. Là où tout le monde peut l'admirer.

Quand il y est, bien sûr...

Moi, Coquin, le chat du château, je te raconte.

Chapitre 1

Des bruits de pas résonnent dans la grande salle du château. Ils font Cloc! Cloc! Cloc!

C'est le matin. Pépé, le petit chevalier, se dépêche. Vêtu d'un pyjama, il est pressé d'aller porter un jus d'orange pressé au roi Corduroy.

Le garçon a mal dormi. Son âne a henni une partie de la nuit. Pépé ne sait pas encore pourquoi. Le pire, c'est qu'il a dû se lever plus tôt pour le petit-déjeuner du roi.

Quelqu'un court derrière lui. C'est le chambellan, messire Ardent. Il le rejoint. Sur un plateau, il apporte deux tranches de pain et une banane.

– Pour compléter le repas du roi, dit-il.

– Le pain n'est pas rôti, fait remarquer Pépé.

Messire Ardent constate son erreur. À cet instant, le dragon Briquet s'approche pour le saluer. C'est l'animal domestique du roi Corduroy.

« GRRROUAAAAF ! » fait le monstre.

Le jet de flammes carbonise le pauvre chambellan.

– Ah ! dit Pépé. Nous avons des rôties.

Les deux reprennent la direction de la chambre royale.

En passant devant un grand mur de pierres, le chambellan s'arrête net. Il est imité par Pépé et par le dragon Briquet. Quelque chose attire l'attention de messire Ardent.

Au milieu du mur, il y a un espace plus sombre. Situé à la hauteur des yeux, cet espace est de la taille d'un tableau.

– Ça ne va pas... Ça ne va pas du tout! s'exclame messire Ardent, inquiet.

D'autres pas se font entendre dans la salle. C'est Altesse, la princesse. Elle est en robe de chambre.

– Il y a un problème, messieurs? leur demande-t-elle.

La princesse regarde elle aussi vers le mur. Ses yeux s'agrandissent comme des boules de billard.

– Ça ne va pas... Ça ne va pas du tout! répète-t-elle.

– Oh! Non! Ça ne va pas du tout, du tout! ajoute le chambellan.

Tout à coup, Pépé voit que plusieurs personnes les entourent. Des cris s'élèvent. C'est un début de panique.

Le portrait de la reine Barbelée a disparu!

Chapitre 2

Le portrait de la reine Barbelée n'est plus accroché au mur de la grande salle. À sa place, il n'y a plus qu'un carré sombre. Au château, c'est la catastrophe !

Barbelée est la cousine du roi Corduroy. C'est aussi la reine du Royaume d'En-Haut. Elle cherche tous les prétextes pour déclarer la guerre à Corduroy.

Et Barbelée viendra au château en fin de journée !

– Si la reine se rend compte de la disparition de son portrait... commence le chambellan.

– ... ce sera la guerre, conclut Altesse.

Un murmure marque l'arrivée du roi Corduroy.

– Venez vite voir, Votre Majesté ! lui dit messire Ardent.

Corduroy observe le mur vide. Il réfléchit.

– Hum... Le mur me semble plus beau. Mais je suis incapable d'expliquer pourquoi...

Messire Ardent lui dévoile la vérité.

– Le portrait de Barbelée n'est plus là...

Le roi ne peut cacher un sourire.

– Altesse, ma fille, tu l'as placé dans ton jardin pour effrayer les oiseaux?

– Non, Sire, répond le chambellan. Le portrait de Barbelée a été volé! Et votre cousine vous rendra visite... en fin de journée!

Corduroy est horrifié.

– Il faut retrouver ce tableau !
déclare le roi. Et vite !

*

Maître Bourbon, le directeur de
l'école des chevaliers, rencontre
ses élèves. Ils doivent tout
faire pour rapporter le portrait
manquant avant la fin de la
journée.

– Je vais le récupérer, moi, ce tableau! Je suis le meilleur! se vante Gadoua, sur un ton convaincu.

– Et le plus modeste, ajoute Pépé.

Les deux garçons ne sont pas de grands amis.

– Vous travaillerez en équipe de deux, mentionne le directeur à ses élèves.

«Non... non... Pas Gadoua... Pas Gadoua!» espère Pépé de tout son cœur.

Malheureusement...

– Messires Gadoua et Pépé, vous serez ensemble, indique maître Bourbon.

Ni l'un ni l'autre n'est content de la situation...

Les deux se rendent à l'écurie royale. Gadoua prépare son cheval, une bête magnifique.

– Ton âne nous a tous réveillés, cette nuit, grogne-t-il.

Pépé le sait fort bien.

– Hi-han! Hi-han! fait l'âne.

Gadoua l'ignore, mais le petit chevalier comprend vraiment ce que dit son âne.

Pépé dit :

– C'est pour ça que tu hennissais sans arrêt !

Gadoua écoute cette étrange discussion.

– Un garde de la reine Barbelée a volé le tableau ? Et tu l'as vu ? poursuit Pépé.

L'âne magique approuve d'un signe de sa grosse tête.

– Moi, j'ai juste entendu «Hi-han ! Hi-han !» se moque Gadoua.

– Allons donc au château de Barbelée ! annonce le petit chevalier.

Chapitre 3

La reine Barbelée va venir au
château en fin de journée. Si
son portrait n'est pas au mur de
la grande salle, elle va déclarer
la guerre à Corduroy. C'est pour
cette raison qu'elle a fait voler
son portrait par l'un de ses soldats.
L'âne magique de Pépé l'a vu
agir pendant la nuit.

Le petit chevalier réfléchit tout haut.

– Le portrait doit être dans son château, au Royaume d'En-Haut. La reine est trop vaniteuse. Elle ne se débarrasserait jamais d'un tableau qui la représente. Il suffit de deviner où elle l'a caché.

Pépé sort de l'écurie royale en marchant à côté de son âne. Gadoua est derrière lui. Il surveille le petit chevalier. Mais Pépé ne s'en occupe pas. Il a des choses plus importantes à faire.

– Même en galopant toute la journée, il sera impossible de revenir ici à temps, soupire le petit chevalier.

– Fouille dans mon sac magique, lui suggère l'âne.

Pépé en tire deux paires de bottes recouvertes d'étoiles. Gadoua intervient :

– Que veux-tu faire avec tes cinq bottes ?

Gadoua n'a jamais été fort en calcul. Pépé le corrige.

– Quatre bottes, pas cinq !

– Ce sont les bottes de sept lieues de mon ami, le Chat botté, raconte l'âne.

Le petit chevalier sourit.

– Je croyais que ces bottes n'existaient que dans les livres d'histoires, dit-il.

Excité, Pépé s'assoit par terre pour enfiler une première botte. L'âne interrompt aussitôt son geste.

– Ce n'est pas pour toi! C'est pour moi! explique l'animal.

La surprise passée, le garçon l'aide à mettre les quatre bottes. Ensuite, il grimpe sur son dos.

– Tiens-toi bien, Pépé, parce que ça risque d'aller très vite! le prévient l'âne.

Juste avant de bondir, la bête sent quelqu'un s'agripper à sa queue.

– Pas sans moi! s'écrie Gadoua.

Chapitre 4

Avec son âne magique, Pépé se rend au château de la reine Barbelée. Il veut récupérer le tableau volé. Mais il n'est pas seul. Gadoua s'est invité dans ce voyage.

Chaussé des bottes de sept lieues du Chat botté, l'âne effectue des bonds gigantesques. La présence de Gadoua, accroché à sa queue, ne le retarde même pas.

Ils franchissent ainsi des distances incroyables en peu de temps. Soudain, la vue d'un château oblige l'âne à ralentir.

– Nous y sommes déjà ! signale Pépé.

L'âne atterrit en douceur derrière une butte pour ne pas être repéré. Pépé lui retire ses bottes magiques.

– Ouf ! J'avais les pattes coincées, là-dedans, dit-il au petit chevalier.

Il demande à Pépé de fouiller de nouveau dans son sac. Le garçon en sort une carte. Il la déplie.

– Une carte du château de Barbelée !

Sur la carte, Pépé lit l'inscription

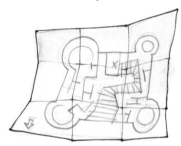

« Vous êtes ici » à l'endroit où ils sont actuellement. La position de la chambre de la reine Barbelée est également indiquée. Il y a un gros X rouge.

– Le portrait se trouve sûrement là, comprend-il. Elle doit le garder près d'elle pour l'admirer... Et pour que personne ne découvre qu'elle a fait voler son propre tableau.

– Je le savais! ment Gadoua.

Pépé consulte la carte une dernière fois pour se souvenir du chemin à parcourir. Avant de le quitter, l'âne lui recommande d'apporter le sac magique avec lui.

– Il te sera utile, lui promet l'âne.

Les deux apprentis chevaliers pénètrent dans le château. C'est étrange. Il n'y a pas de garde. Gadoua bombe le torse.

– Ils ont été prévenus de mon arrivée et ils ont eu peur.

Pépé n'est pas d'accord.

– Je pense que les gardes avancent vers le château de Corduroy pour lui déclarer la guerre. Dépêchons-nous !

Pépé et Gadoua grimpent l'immense escalier de marbre. Au bout des 60 marches, ils atteignent l'étage. Ils tournent à droite et s'engagent dans un long couloir.

Après quelques secondes, ils s'arrêtent face à une porte rose.

– C'est sûrement la chambre de la reine, devine le petit chevalier.

Deux chiens féroces leur barrent la route. Le cœur de Pépé rate un battement ou deux.

Les chiens grognent et montrent les dents. De la bave coule de leur gueule.

Gadoua n'hésite pas une seconde...

Il se sauve!

Les chiens regardent fixement Pépé.

Comment se débarrasser d'eux?

Le garçon a une idée. Il plonge la main dans le sac magique et en sort… une balle ! Il agite l'objet.

– Qui veut la ba-balle ?

Les chiens cessent d'être menaçants. Leur queue fouette l'air. Ils désirent jouer.

Le petit chevalier envoie la balle dans le couloir. Elle rebondit dans les marches de l'escalier. Les deux chiens foncent derrière elle.

Pépé entre dans la chambre de Barbelée. Il repère le tableau au-dessus de son lit. Il le décroche. Pas de bruit. Aucun système d'alarme n'est en fonction.

– Tout va bien, soupire Pépé, soulagé.

Toutefois, à la sortie de la chambre, une mauvaise surprise l'attend. Un garde brandit son épée.

Chapitre 5

Pépé a réussi à récupérer le tableau volé de Barbelée. Mais à la sortie de la chambre de la reine, il rencontre un garde. Celui-ci le menace de son épée.

– Vous avez enlevé le portrait de notre reine bien-aimée ! constate le garde, en colère.

Il arrache le tableau des mains de Pépé.

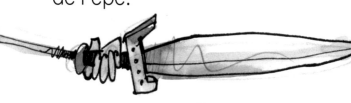

– Je vous conduis au donjon. Notre Majesté décidera de votre sort à son retour triomphal.

Des aboiements éclatent. Ils sont de plus en plus forts. Les deux chiens reviennent. Celui de droite a la ba-balle dans sa gueule.

Ils sautent sur le soldat et le renversent au sol. Il échappe son épée... et le tableau. Pépé les applaudit :

– Oui ! Bons chiens !

Il reprend le portrait de Barbelée.

– Merci beaucoup !

Pépé court vers l'escalier.

– N'oubliez pas de jouer à la ba-balle avec eux ! lance-t-il au garde.

Pépé rejoint son âne à la sortie du pont-levis. Mauvaise nouvelle : Gadoua, dans sa fuite, lui a volé une paire de bottes de sept lieues.

– Il est rentré au château du Royaume d'En-Bas.

Le petit chevalier désigne la paire de bottes restantes.

– Il a laissé celles-là derrière lui…

Pépé les enfile immédiatement.

– Je dois arriver au château avant la reine Barbelée et remettre le tableau en place, dit-il à l'âne. Sinon, elle va déclarer la guerre à Corduroy.

– Et moi, je reviens à pied, comprend l'âne. Bonne chance.

Pépé entreprend le chemin du retour en faisant des bonds spectaculaires. En cours de route, il remarque la présence des troupes armées de la reine Barbelée. Elles sont dans une clairière près du château de Corduroy. Elles attendent l'alerte de leur souveraine pour l'attaquer.

Il n'y a plus une seconde à perdre pour Pépé. Quelques enjambées plus tard, il atteint le château en même temps que Barbelée.

Sans aucune gêne, la reine marche en direction de la grande salle, là où son portrait n'est plus... Et elle le sait. Le roi et le chambellan tentent de la retarder. C'est inutile. Elle voit clair dans leur jeu.

– Avez-vous quelque chose à me cacher, mon cousin? dit-elle, les lèvres pincées.

Pépé se faufile en douce à l'intérieur du château, jusqu'à la grande salle.

Comment accrocher le tableau sans éveiller l'attention de Barbelée?

– Majesté! Majesté! hurle Gadoua. J'ai votre portrait.

La reine Barbelée est surprise de cette apparition. Elle l'est encore plus quand elle voit le tableau apporté par Gadoua: un bonhomme allumette avec des cheveux longs et une couronne sur la tête!

Pas besoin de chercher long-temps pour connaître l'identité de l'artiste. Gadoua a mis sa signature au bas de son chef-d'œuvre!

– C'est affreux! s'écrie Barbelée.

– Bien, moi, je trouve que c'est assez ressemblant, réplique Gadoua.

Pépé se glisse dans l'ombre de la reine et replace le vrai tableau.

Juste à temps! La reine Barbelée aperçoit son portrait au mur. Elle est étonnée et... déçue.

Le roi Corduroy et messire Ardent poussent un soupir de soulagement. Barbelée fait la grimace. Elle tourne les talons.

– Bon, j'en ai assez vu. On rentre au château, dit la reine à son entourage.

Ouf! La guerre a été évitée.

Le geste héroïque de Pépé a été récompensé par le roi Corduroy. Il a le droit de manger de la barbe à papa à volonté pendant une semaine.

Le roi a également honoré Gadoua. Puisqu'il aimait tant le dessin, Corduroy lui a demandé de faire le portrait de tous les nobles du château.

Moi, Coquin, inclus!

Chat-lut!

FIN

GADOVA

www.chatoenfolie.ca

Les pensées de Coquin

Moi, le Coquin, je me glisse dans les illustrations. À toi de me trouver ! Et si tu veux savoir chaque fois ce que je pense, va vite sur le site découvrir *Les pensées de Coquin*, tu vas bien t'amuser.

Les mots modernes

Alain, Fil et Julie ont mis dans le roman des mots et des objets inconnus à l'époque des châteaux. Pour les retrouver tous, viens t'amuser sur mon site Web en cliquant sur le jeu «Mots modernes». Il y a aussi plein d'autres activités rigolotes.

Chat-lut !

LE CHÄT-Ô EN FOLIE

Miniromans de
Alain M. Bergeron – Fil et Julie

Alain M. Bergeron a aussi écrit aux éditions FouLire :

- Rire aux étoiles - Série Virginie Vanelli
- Mes parents sont gentils mais… tellement malchanceux !
- Collection Mini Ketto - Ollie, le champion
- La Bande des Quatre

Achevé d'imprimer à Québec
octobre 2015